Sami
sous la pluie

Texte
Léo Lamarche

Illustrations
Thérèse Bonté

hachette
ÉDUCATION

Avec Sami et Julie, lire est un plaisir !

Avant de lire l'histoire

- Parlez ensemble du titre et de l'illustration en couverture, afin de préparer la compréhension globale de l'histoire.
- Vous pouvez dans un premier temps lire l'histoire en entier à votre enfant, pour qu'ensuite il la lise seul.
- Si besoin, proposez les activités de préparation à la lecture aux pages 4 et 5. Elles permettront de déchiffrer les mots les plus difficiles.

Après avoir lu l'histoire

- Parlez ensemble de l'histoire en posant les questions de la page 30 : « As-tu bien compris l'histoire ? »
- Vous pouvez aussi parler ensemble de ses réactions, de son avis, en vous appuyant sur les questions de la page 31 : «Et toi, qu'en penses-tu ?»

Bonne lecture !

Couverture : Mélissa Chalot
Maquette intérieure : Mélissa Chalot
Mise en page : Typo-Virgule
Illustrations : Thérèse Bonté
Édition : Laurence Lesbre
Relecture ortho-typo : Emmanuelle Mary

ISBN : 978-2-01-910381-1
© Hachette Livre 2016.

Achevé d'imprimer Novembre 2021 en Espagne par Grafo
Dépôt légal : Janvier 2015 - Édition 12 - 29/8895/3

Les personnages de l'histoire

Pour préparer la lecture

1 Montre le dessin quand tu entends le son (i) dans le mot.

2 Montre le dessin quand tu entends les sons (u) et (i) dans le mot.

3 Lis ces syllabes.

leu	pui	mai	can	en	lez
nez	lon	ner	ven	sou	for

4 Lis ces mots outils.

il   une   pas   la   plus

nous   c'est   dans   les   sous

5 Lis les mots de l'histoire.

pluie   vent   nuage

flaque   goutte   eau

Il pleut depuis

une semaine.

Sami et Julie

n'aiment pas la pluie.

En plus,

c'est les vacances.

Pas de chance !

– Je m'ennuie !

dit Sami à Mamie.

– Je m'ennuie !

dit Julie à Papi.

– Allez, venez !

Nous allons

nous promener

sous la pluie !

dit Papi.

Dehors, le vent souffle fort.

– C'est la fête

pour les petites bêtes,

dit Papi.

– Regardez les nuages

et les gouttes

les enfants !

Sami et Julie sautent

dans les flaques.

Ils s'amusent bien.

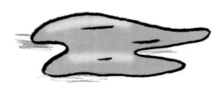

Les enfants courent

sous les gouttes.

– Nous allons faire
un petit moulin.

– L'eau, c'est la vie !

dit Papi.

Tout à coup,

la pluie s'arrête.

– C'est le sourire

de la pluie ! dit Papi.

As-tu bien compris l'histoire ?

1 Depuis quand pleut-il ?

2 Que propose Papi ?

3 Qui aime la pluie ?

4 Explique le circuit de l'eau en regardant l'illustration page 25.

5 Que se passe-t-il quand la pluie s'arrête ?

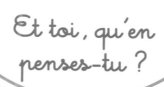

Et toi, qu'en penses-tu ?

Que fais-tu pendant les vacances de la Toussaint ?

Passes-tu des vacances avec ton papi ou ta mamie ?

À quoi joues-tu quand il pleut dehors ?

Que faut-il pour qu'il y ait un arc-en-ciel ?

Comment dois-tu t'habiller lorsqu'il pleut ?

Dans la même collection

Niveau 1
Début de CP

Niveau 2
Milieu de CP

Niveau 3
Fin de CP

Niveau CE1

Niveau CE2
NOUVEAU !

hachette
ÉDUCATION